COL

www.einaudi.it

ISBN 978-88-06-13730-4

Alda Merini

BALLATE NON PAGATE

A cura di Laura Alunno

Giulio Einaudi editore

Nota

Nell'inverno del 1989, Alda Merini frequentava il Chimera, un caffè-libreria ritrovo di lettori notturni non distante dalla sua abitazione sul Naviglio. Da pochi mesi era stato pubblicato *Testamento* (1988), un'antologia poetica curata da Giovanni Raboni in cui la prepotenza dolorosa del *Canto delle donne* rivendicava un'appartenenza e insieme consacrava il ritorno della poetessa da un passato fatto di molte e differenti lontananze. Ritorno dalla tranquillità felice «nel golfo azzurro di Taranto», interrotta dalla morte del secondo marito, Michele Pierri, e da un ricovero all'ospedale psichiatrico pugliese. E ritorno anche dai tempi piú lontani, dagli anni dei ricoveri coatti e dell'oblio, quando Alda Merini aveva scelto per la sua poesia altre strade che non fossero scrittura.

In quell'inverno del 1989, Alda Merini viveva la sua sofferta conquista – o meglio riconquista – di un posto in libreria, e al Chimera andava «quando da sola e per ben corta via | venivo a rintracciare la speranza», come si leggerà piú avanti in questa raccolta. Spesso portava con sé fogli dattiloscritti che regalava agli avventori, fogli coperti di caratteri alterni, sfuocati e turchini perché la sua macchina da scrivere era senza nastro e Alda Merini batteva i tasti direttamente sulla carta carbone.

Da quegli incontri nacque un gruppo di affezionati sodali della poetessa, e nacquero libri come *Delirio amoroso* (Melangolo 1989) e *Il tormento delle figure* (ivi 1990).

Poi, negli anni che seguono, nuove pubblicazioni sono venute a consolidare questo ritorno sulla scena letteraria. Primo fra tutti, nel '91, *Vuoto d'amore* curato da Maria Corti, artefice principale (fin dal 1983, con la pubblicazione della *Terra santa* nel «Cavallo di Troia») della rinnovata attenzione nei confronti della Merini. Soprattutto grazie a quel volume, nel 1993, alla Merini viene assegnato il Premio Librex Montale, vinto in precedenza da Caproni, Bertolucci, Luzi, Zanzotto, Fortini. È la consacrazione fra i massimi poeti del nostro tempo.

Questa nuova raccolta poetica si riconnette ai tempi del Chimera, per storia personale innanzitutto, e per la diffusione rapsodica dei testi che sono stati qui scelti e ordinati.

La prima parte del volume propone poesie dattiloscritte che appartengono al periodo 1989-93, alcune delle quali inviate dalla Merini direttamente all'editore, a gruppi di quattro o cinque per volta, altre affidate, sempre sparsamente, alla curatrice. La seconda parte è invece composta da poesie piú recenti, non scritte bensí dettate fra il maggio e il settembre 1994.

Ballate non pagate non è soltanto il titolo di un libro: è anche titolo – o commento, della storia personale di Alda Merini, perché non esiste riconoscimento che possa pareggiare il conto di ciò che Alda Merini ha dato alla poesia, cosí come non esiste possibilità di risarcimento da parte di una vita che da sempre ha agito per sottrazione.

Anche i protagonisti di questo libro, del resto, emergono da vite non pagate, si tratti di persone qualunque incontrate ai margini di un difficile Naviglio, come il Titano che le è stato vicino negli ultimi anni, oppure di nomi noti quali Giorgio Manganelli, o Michele Pierri, il poeta tarantino. E tutte queste poesie hanno una storia, sono nate da un fatto accaduto pochi minuti o molti anni prima, da un incontro o da una rievocazione risorta al presente. Sono canzoni ispirate dalle strade milanesi meno affollate o dalle televisioni che gridano pubblicità oltre le pareti, che emergono dall'ombra rossastra lasciata da un bicchiere di vino sul tavolo di un caffè appena aperto e in attesa di miglior avventori. Sono liriche cercate nel quotidiano da una donna forse stanca di Dio, un Dio al quale pure aveva dedicato molti bellissimi versi, tanto da essere salutata agli esordi quale poetessa mistica. Un Dio a lungo chiamato e oggi un poco accantonato per aprire piú decisamente le braccia al «pagano», da sempre rimasto sull'uscio.

Se ancora, per la Merini, si vuole parlare di «voce», va tolto tutto quel che di casuale e di vagante il termine «voce» porta con sé: le *Ballate non pagate* sono storie e scritture consapevoli, parole cercate sempre e con decisione oltre confine anche se abitano nel lampo istintivo e immediato, e dentro gesti o pensieri che rispondono a una grande violenza di vita, di amore raccolto nei paraggi dell'indifferenza, là dove è ancora piú assente che nel rifiuto.

LAURA ALUNNO

Bibliografia delle opere di Alda Merini

La presenza di Orfeo, Schwarz 1953; Scheiwiller 1993.
Paura di Dio, Scheiwiller 1955.
Nozze romane, Schwarz 1955.
Tu sei Pietro, Scheiwiller 1961.
Destinati a morire, Lalli 1980.
Le rime petrose, edizione privata 1983.
Le satire della Ripa, Laboratorio Arti Visive 1983.
Le piú belle poesie, edizione privata 1983.
La Terra Santa, Scheiwiller 1984.
La Terra Santa e altre poesie, Lacaita 1984.
L'altra verità. Diario di una diversa, Scheiwiller 1986; ed. accresciuta 1992.
Fogli bianchi, Biblioteca Cominiana 1987.
Testamento, Crocetti 1988.
Delirio amoroso, il melangolo 1989.
Il tormento delle figure, il melangolo 1990.
Le parole di Alda Merini, Stampa Alternativa 1991.
Ipotenusa d'amore, La vita felice 1992.
La palude di Manganelli o il monarca del re, La vita felice 1993.
Se gli angeli sono inquieti. Aforismi, Shakespeare & Company 1993.
Titano amori intorno, La vita felice 1994.
Reato di vita, Melusine 1994.
La pazza della porta accanto, Bompiani 1995.
Ballate non pagate, Einaudi 1995.
La vita felice, Bompiani 1996.
La vita facile, Bompiani 1997.
Fiore di poesia, Einaudi 1998.
Lettere a un racconto, Rizzoli 1998.
Aforismi e magie, Rizzoli 1999.

La poesia luogo del nulla, Manni 1999.
Il ladro Giuseppe, Scheiwiller 1999.
Superba è la notte, Einaudi 2000.
La volpe e il sipario, Rizzoli 2002.
L'anima innamorata, Frassinelli 2000.
Corpo d'amore. Un incontro con Gesú, Frassinelli 2001.
Folle folle folle di amore per te, Salani 2002.
Piú bella della poesia è stata la mia vita (libro piú videocassetta), Einaudi 2003.

BALLATE NON PAGATE

*Ai miei fratelli
Anna ed Ezio*

Di quel fosco periodo ricordo soltanto il castigo immediato
che veniva dopo un approccio amoroso in limite sospirato
e diserto nel medesimo tempo, quella speranza vana
di avvicinarsi all'acqua e quel mio porgere al vento ogni
          commiato,
ogni passo, ogni speranza languente. Rammento quanto
fossi rosa dalla rabbia e solitaria del mio avvenire e come
non guardassi in avanti ma indietro, cadendo appunto
all'indietro per una folle e non voluta voglia di isolate
          donazioni.
Fu un tempo incredibile di albe e tramonti foschi
in cui c'era qualche cosa di non ben definito,
una nera caligine che cadeva al mattino insieme al sogno
gravido di molte ombre,
e il fuoco della mia guancia piena di sospetto era fermo
contro un cuscino immobile che non consentiva neanche
di toglierlo via dalla nebbia del sogno.

1989-93

Non darmi canti d'amore e non dirmi
che io sono fredda
né che porto ceste di oscuro silenzio
sulle mie fragili spalle.
Non dirmi che io mi sto risognando del vento,
non dire parole d'amore a specchio del vero
e di acque sicure.
Non dirmi che sono maldestra nel programmare la
           folla
perché porto intorno dinieghi e vivo dorata di morte,
ma dimmi che ami cercare nel grembo di facili muse
parole che a notte sussurrano ambrosia infinita.
Non dirmi che io ti rinnego quando io continuo a
           cercarti
assiso sulle grondaie, seduto sopra la neve.

Turgore della mente, infallibili
idee di coperture di arroganza,
o segno di infallibile misura
che suoni dentro il tempo, l'armonia
non è parola né puro smarrimento
di canto degustare le tue idee
insieme a mille sillabe.

Corona di atto mutilato e forte,
oscuro smembramento di destini,
pacifico diniego
ora ritorni dentro immacolati
sentori di Madonne.

Io come voi sono stata sorpresa
mentre rubavo la vita,
buttata fuori dal mio desiderio d'amore.
Io come voi non sono stata ascoltata
e ho visto le sbarre del silenzio
crescermi intorno e strapparmi i capelli.
Io come voi ho pianto,
ho riso e ho sperato.
Io come voi mi sono sentita togliere
i vestiti di dosso
e quando mi hanno dato in mano
la mia vergogna
ho mangiato vergogna ogni giorno.
Io come voi ho soccorso il nemico,
ho avuto fede nei miei poveri panni
e ho domandato che cosa sia il Signore,
poi dall'idea della sua esistenza
ho tratto forza per sentire il martirio
volarmi intorno come colomba viva.
Io come voi ho consumato l'amore da sola
lontana persino dal Cristo risorto.
Ma io come voi sono tornata alla scienza
del dolore dell'uomo, che è la scienza mia.

Ho un rigo musicale sopra il canto
anche quando io vendo discipline:
è il rigo di una grande annunciazione,
il rigo della mia follia.

Vorrei conoscere canestri di fede,
il salterio e un branco di domande,
perché io sono Rebecca
in cerca di innumerevoli fogli.

Rendimi i miei capelli,
non portarli con te nelle tue pene,
inebriami di baci, come statua
che abbia compiuto musiche maggiori.

O coscia del destino semiaperto,
lascia che ti ricami una chimera
sull'avambraccio
prima che la follia del tempo
divori le caviglie.

Sei nata donna
ma tu sei cosí oscura
come tranello in cui tema il piede
di orizzontarsi. Sei la mia dimora,
la dimora traslata dalle vigne
che fa tacere anche il pavimento.

Liberatemi il cuore
da questa assurda stagione d'amore
piena di segreti ricordi.
La sua bellezza come un sandalo d'oro
mi ha colpito la fronte
in cima ai miei pensieri.
La sua bellezza, unica al mondo possibile,
e il suo giovane cuore
buttato tra le siepi delle mie povere cose
mi hanno donato la speranza del fiore.
Lui stesso è un fiore, madre,
un fiore di giovinezza,
il fiore del gaudio e del dominio,
il fiore della mia lenta stagione.
Lui stesso è zolla, madre,
ma le zolle vogliono essere fecondate
e io non ho semi.

ad Antonello S.

Tu che passi fischiando
lungo i tuoi rivi di vita assente,
giovane adolescente gagliardo
che guardi l'erba e la falce
con divina sapienza, ascolta:
chinato sulla terra
è forse il fiore della tua rivolta,
la rosa che disfatta
geme l'apoteosi
della maturità di donna, e tu la vedi
dissepolta tra i numi delle zolle
e non osi toccarla ché sarà,
dici a te stesso, infame.
Se forse a un certo gravido momento
questa rosa disfatta sulla terra
sorriderà al tuo piede che cammina,
adolescente, impara:
non sono soltanto verginali
a volte le fanciulle,
che anche i vecchi
han palpiti d'amore,
di amore chiuso dalle rimembranze.

Padre, se scrivere è una colpa
perché Dio mi ha dato la parola
per parlare con trepidi linguaggi
d'amore a chi mi ascolta?

Ormai vecchia di anni e senescente,
dove trovare un filo di erba buona?
Che sai dei miei conventi, della grazia
matura delle sante, delle grandi
anime folli? Che posso io trovare
tra gli osanna dell'uomo di cultura?
Altrove è il canto, altrove è la parola
e Dio non la pronuncia.

Come il poeta che si deprecava
di avere alle ginocchia una fontana
e non poterla cogliere nel sogno,
cosí mi lamentai dei desideri.

Che infamia non potersi ripiegare
e raccogliere in due la palla rossa,
che infamia, mio ragazzo, che pur quella
Venere ardita mi buttò tra i piedi.

Vieni a rapirmi e dentro questo ardente
panorama di sogno a rinverdirmi.
Vieni allo spazio della vita mia,
cambiamento di tempo: se sei uomo
devi divaricare la mia mente,
ma se sei donna non avrai salute
né fame né ricordo maledetto.

Rammento solo che son fatta eguale
al tuo fango e resisto al tuo costato;
chiamami nume e poi chiamami Athena
ma sopratutto chiamami tua donna,
o fiore di domanda doloroso.

Forse i sogni abitano i conventi,
forse, se ti rimorde la paura
del sogno stesso, e gli inguini selvaggi
di Agostino che premono sui libri
alla ricerca di una pia menzogna.

Forse i sogni devolvono le ossa,
forse si manifestano nel bene
e forse i sogni sono giovinezza
e peccato d'amore. Se le foglie
ardono i bruchi dentro le emozioni,
l'orca vedrà che anche io ho paura,
paura di violarti.

Lungamente sospeso
dentro l'anima
di una metafisica assente,
tu hai ragione d'amore
ben piú alta
e non ti preme
la soglia viva della vita tua.

Ahimè, che smarrimento
una fontana
a gettiti profondi di avaria,
la musica che suona di lontano,
il ricordo di un'ansia indefinita,
l'amore breve delle tue passioni
e un libro che corona le tue stelle.

a Michele P.

Dolcissimo poeta
nato dopo la morte,
mio figlio sconsolato
ormai vecchio e sepolto
che gemi da morire
per lo stupro volgare,
ascolta:
con il silenziatore
mi hanno ucciso di fame
e poi di azzurra sete
di cose di infinito,
mi han messa a germogliare
in un vaso di seppie.

O disgiunto dai palpiti di cuore,
tu che racconti mirti che non temi
e avversi i miei sepolcri nella luce,
vedi che adesso sono il tuo racconto
fatto di un sonno fisso appeso a un chiodo.
Incolpi i maghi della mia fortuna
invidioso che io rida tra la folla,
anima accesa ormai dall'avventura.
E ti è caro sapermi innamorata
come un fiasco che tenga in riva al mare
la sua gran mota d'anima boschiva
di sempreverdi valli della terra.
O Pietro prodigioso che hai riaperto
i confini di un vecchio meridione,
dimmi: sei cosa nostra o cosa sua,
o solamente un termine selvaggio,
un lungo bosco tenero e retrivo?

a Michele P.

C'era una goccia nuda
appesa al pavimento
come una macchia vuota
nel tuo discernimento,
che vangava la terra
com'ala di orizzonte
densa di millepiedi...

C'era la tua sostanza
pacifica e lontana
che sognava le navi
lanciate al tuo destino,
e una corona nuova
scambiata per rosario
che ti pendeva al labbro
come una croce rossa.

Non sparire nell'azzurro,
ho visto un giorno la tua salma appesa
ferma nel vuoto, pareva che cantasse,
e poi ancora due denti vespertini
rossi di volpe, che avevano preso
di te tutto il conforto della Chiesa.

Non vangare negli orizzonti,
a volte ci son chiuse, poi maremme...
e tu ti nascondevi dentro gli auspici
della demenza, sai, che era un vibrare
dentro le corde del tuo Creatore.

Hai lasciato una lira nel tuo scambio
di asceta, questa lira polverosa
che non ha conio in terra straniera,
che si muta soltanto in Paradiso.

Asfodelo di morte ti pensavo,
piatta e scorretta come la paura,
e invece sei sinuosa come un liuto,
come calunnia dentro laghi spenti
che son larghi e adoranti di magia,
sola, unica madre alle locuste.

O ragnatele ripide di sonno,
che fate fin quaggiú nelle dimore
assurde delle fate? Lui, il mio bene,
lui si vendette per ben pochi franchi,
per la venere nera ed una cena
magari a un lume di candela spenta.

Da *Il Gobbo*

Un tempo mi passava accanto un vecchio,
ero giovane assai, piena d'attesa,
e vedevo i miei libri alla Rizzoli.
Ora il vecchio non passa, solo vecchie
del Naviglio comprese nel mistero
di stanche solitudini forzate.
Il vecchio non riposa sulla zolla
del mio brutto pensiero, vecchia io pure
penso a distanze bianche e invereconde
che io non ho battuto, ad atmosfere
di canto che ridondano amicizia...
Perduta ormai la via della speranza,
vengo a cantare in mezzo a dei dementi
sospinta da un illogico destino.

Combattuta fra te e la poesia,
tu non puoi togliermi questa dimensione di luce
né abbattere il cordoglio della fede
perduta, questa fede cosí grande
e trasparente come quercia
che pare a me un bell'albero infinito,
e la luce dirompe dalle vene
nel segreto magnetico del carme.
Combattuta tra te e la mia agonia,
ora fugge l'amore: è canto pieno...
nato da vita che ben mi assicura
molta pietà del mio povero corpo.

Quando gli innamorati si parlano
attraverso gli alberi
e attraverso mille strade infelici,
quando abbracciano l'edera
come se fosse un canto,
quando trovano la grazia
nelle spighe scomposte
e dagli alti rigogli,
quando gli amanti gemono
sono signori della terra
e sono vicini a Dio
come i santi piú ebbri.

Quando gli innamorati parlano di morte
parlano di vita in eterno
in un colloquio di un fine esperanto
noto soltanto a Lui.
Il loro linguaggio è dissacratore,
ma chiama la grazia infinita
di un grande perdono.

Eppure nella mia eterna avarizia
qualcosa io sogno:
l'anima di Dio gentile,
il volare bianco della colomba,
il tuo immacolato disegno
d'amore,
il piangere di bagliori del vento
perduto
e le serpi leggere
che fluttuano alla tua destra.
Ma piangere sui carmi divoratori
è inutile, amore mio.

Ammessa finalmente fra i reprobi
io sola esulto, amore
di vera inamicizia.
I traslati del vento sono chiari,
il traslato del vento porta pensieri lontani
e voglie amorose...
Ammessa fra mille corone
rimango ancora povera
e appesa a una fontana
dirò che sono morta.

Tu che ti accendevi di luce,
che mi toglievi dal male
con il tormento del tuo amore segreto,
cosa puoi dire adesso?

Tormentosa è la sorte dei poeti,
chiara e sicura come l'usignolo
la falce della morte che spargeva
la sua polvere d'oro
sopra il misfatto delle mie parole.
Il vero delitto sta nella demenza
del cosmo, sta nel pianto tutto:
è un movimento preciso
di chi soffre d'amore
per un traditore che muore.

O labbra, labbra disunite e bianche
nel valore del pianto penitente,
labbra disunite dentro il bacio
in tenera protesta di follia,
o labbra senza tempo
che avete amato un uomo,
labbra senza perdono
ponete la protesta fuori da una finestra.
O labbra della Vergine divina
che cantan l'Angelo che ormai si avvicina,
è pronto il gran segreto,
vengo meno a un divieto.

O idolo tremendo che in galera
passi il tuo tempo a diventare pazzo,
o fustello di rabbia e di paura,
come ti debbo domandare venia?
Anche se sei un ragazzo e mi cavalchi
come un puledro, a volte sei gentile,
pieno di morta grazia come sei,
le tue carezze dividono il mio viso
in due pareti piene di armonia:
lo spaccano in due mondi universali.

Ti prego, lasciami andare:
il pensiero dell'alba
è in me cosí alto
che non occorrono boschi
per poter camminare.

Ti prego, lasciami vivere
questo assurdo pensiero,
questa passione intensa
non fa che ardere odio
entro le madri oscure
che tu fai piangere, amore,
soltanto per errore.

Io sono una cantante libera,
sono un'entusiasta del pensiero,
mi inerpico su teneri arboscelli
e dico che sono alberi grandi.

Patisco di questi abbagli dolcissimi,
patisco di questi abbagli
ma poiché sono imprecisa
gravito sempre verso il dubbio
sulla santità di Caino.

Ora, Titano, tu che fiuti il mare,
tu che mi sei salino come i santi
detriti della terra, abbi paura
che un giorno madre Cerere non svegli
la tua progenie, per dartela poi contro.
Vedi, Titano, grandi sono gli dei
ma piú grande è Mosè che li abbandona.
Tu non conosci, figlio, la preghiera
e non sai inginocchiarti al capezzale
di una madre che hai dimenticata.
Ma io che ti ritrovo nei capelli
ormai bianchi, ti vedo qualche rosa
d'amore, di un amore abbandonato.

Alata donna, cessa il tuo rancore:
la vita che ti porti del mistero
profuma male sopra il tuo cuscino
e moribonda si appassisce via.
Cosí trasuda ogni albero superbo
l'amore, dietro ai tetri tuoi concimi
che irradi di semenza e di lussuria,
e paga almeno per il rapimento
di anime violate. Pur cantata
dal demonio, nemica sei di Dio
e allora bieca questa tua lussuria
si addensa sopra anime di eroi,
e giovane tu sei. Fai nocimento
a tutti quanti vedono la strada
della tua pace e nessuno commina
a te l'altare della tua grandezza
che fa offerte agli dei. Come tu stessa
fossi una dea vestita di lussuria,
tu chiami l'oro dentro le tue braccia
come io chiamo i figli della notte.

Era, Titano,
simile al giorno e alla notte
e alle domande inutili
del nostro destino.
Aveva paura di tutto,
del fuoco, del ferro e delle misure
di avena.
Era, Titano,
un lido asciutto e un mosto
facile da pigiare,
facile da lasciare,
ma soprattutto era una calda vena
di menzogna.
Ti potevi trovare poeta
soltanto tra le sue donne
e io ero ruvida come il suo dire,
dolcissima nel mio pensiero,
ruvida di panni e chimere.
Ma il negriero ossuto della vecchia capanna
e la schiavitú di luoghi lontani
mi avevano circondata di acqua
sorda come paura.

O ti compiango, che sei senza velo,
volteggi sopra un ramo maledetto
e percuoti le donne di pensiero.
Sembravi un incantesimo di spugna,
invece tu hai assorbito la mia mente,
ne hai fatto un greto senza piú salvezza.

Ahimè povera donna che son io,
che resa vecchia dalla lontananza
credevo che le giovani ben note
avessero due volti di freschezza.

E tu, malandrino della paura,
di che cosa vuoi derubarmi
che tu non mi abbia già preso?
La tua paura l'hanno vissuta in molti
dacché tu sei venuto in questa casa,
hai fatto spargimento di sangue
perché sei un assassino.

Tu sotterri ogni giorno la tua anima ardente
dentro la spazzatura della morte
perché sei solerte e con la tua bianca falce
scandisci le ore del delitto
poliziesco e segreto
e ardi di mille usure.

Donna che sembra insana di mente
insedia i figli e dopo li abbandona,
donna che forse fu progenitura
di interessi leggeri ha questa coppa
sempre pronta ad Apollo che la impingua
con forzieri di anime scoperte.
Essa, che sembra alata, sembra Dio
e trasparente come una Madonna
tratta nel giorno e anche nella notte
delle assurde paure di Cibele.
Tratta la notte come una sorella
facendo gli incantesimi lontani
ed evoca dei demoni infiniti
chinando i seni sopra le mie braccia
ché vuole esser regina
di carni ormai violate dall'amore
e paga forze per trattati neri,
o forza greve di destini impuri.

Son Diana folle, invitta cacciatrice,
e chi pensa di me ch'io tema il freddo
ha una folle paura della vita.
Ho un desco puro senza sentimento,
pane azzimo al posto del calore:
tutti mi hanno adorata e dopo spenta,
spenta con chiare e duttili calunnie
sopra le dita, e io che le ho sentite
cercavo nella tragica mia vela
qualche dolce pietà per la mia morte.
Donna ribelle, donna forse maga,
avrei voluto farti incantamento
di amore vero senza piú ritorno.

Ti ho visto nuda,
o vaga spirale d'ansia,
antenna di desiderio,
vibrazione felice delle felci.
Ti ho visto nuda
e mi sembri, ragazza,
orazione di casto pentimento:
come sei bella dentro la menzogna
e come mangi pane vero e mio!
Io ti vorrei sí flessa e addormentata
come una canna di bambú sonora,
se fossi almeno vergine, ragazza,
invece ti divarichi lontana
contro le pietre dure del selciato.

Maggio-settembre 1994

Ho gli inguini decisi
come una donna
ma son già lontana
dalle richieste delle praterie.

Follia, mia grande giovane nemica,
un tempo ti portavo come un velo
sopra i miei occhi e mi scoprivo appena.
Mi vide in lontananza il tuo bersaglio
e hai pensato che fossi la tua musa;
quando mi venne quel calar di denti
che ancora mi addolora tra le spoglie,
comprasti quella mela del futuro
per darmi il frutto della tua fragranza.

Tornai allora a quella neve chiara
che arrossava i miei guanti nella notte,
quando da sola e per ben corta via
venivo a rintracciare la speranza.

Non volevo i tuoi carmi, non volevo
chiedere ad altri dov'io fossi nata
ma perché la disgrazia cosí bieca
si trastullasse con le mie povere forze.
Entrambi divorati dal pudore
ci trattenemmo fermi per tre anni
pieni di sgominevoli peccati
e non fummo nemmeno grandi santi
né grandi peccatori longobardi:
fu una guerra politica e sociale,
una guerra di orrore dei confini,
una guerra piegata dalla fame.

Trame di luce,
chissà che venendo da venerdí
fino a domenica nuova
io salti tutta la settimana,
io salti un mese intero
e mi trovi ancora stranamente incinta
del tuo ricordo.
Queste enfiagioni alle braccia e al corpo,
queste mutilazioni di Abelardo,
questo improvviso ritrovar la fede
e poi perderla, il bisogno di Socrate,
la sponda di Agrigento...
Mi sento confusa come una talpa
che cerca i suoi invincibili avvoltoi.

Del tuo ultimo tempo senza colore,
delle tue arringhe senza popolo,
della tua vasta legge d'amore
che dà ozi e digiuni,
girando intorno a una grande solitudine
hai scoperto il baricentro del cuore,
o mio sudato amore senz'arte
che mi hai fatto le carte del pudore.

Era il sei di gennaio maledetto
quando fugando le mie vecchie pietre
me ne andai solitaria per la via
in cerca di un raccolto levigato.

Sono una donna dalle cieche braccia
che si regge rapita nella salma
di te beato che mi canti in piena,
e pensando di te che sei partito
oltre e non oltre dentro il sentimento
mi sembri un grande alone di coraggio,
idolo fresco della giovinezza.

È primavera sopra i colli, amore,
e un grande Amatore disse
che l'Opera Prima
è un'interdisciplina dell'eterno candore.

Venere tra le stelle mi apriva il firmamento
ma tu eri contento delle mie molte fiammelle.

Dal mio poggiolo
che è sempre in festa
a volte traggo la luna dei canti.
È lamentevole la luna mia,
eppure è giusto che nelle note di giubilo
di questo continuo colorar la pena
ci sia un anfitrione del pianto
che mi invita a banchetti e sponsali
e preme i confetti contro le mie dita.

Vorrei mangiare di queste nozze,
tingere e ritingere il manto
della mia tanta paura:
se mi abbattesse lungo il solco di vita,
se mi mettesse la sua pelle sopra lo spazio
so che morirei ragazza,
mentre sono vecchia e inutilmente vecchia.

Alla seconda sigaretta mi irrito
e vorrei cambiare persona.
Abito in me come abito il mondo:
son diventata troppo stretta di fianchi
e comincio ad allargarmi nel destino.
Sto diventando come olio pesante,
macchina senza stantuffo
che non vogliono portare via:
fossi solo il mietitore di Norca
avrei trovato la mia baldracca
da mettere in un letto sporco.

Lamento per la morte di Paolo Volponi

Chiedimi qualche cosa che mi inganni,
la certezza che tu non sei mancato
agli eventi felici della terra,
o divo illustre che mi rinnovavi
e stringendomi forte nelle spalle
mi salvavi dal dubbio e dal veleno
di una vita che piano si disperde.
Se tu sapessi come ti ricordo
bianco nel bianco velo dei capelli,
e di Roberto tu chiedevi il conto,
il saldo piú preciso, una manciata
di parole che io non ti dovevo.
La notte in cui io feci il frontespizio
di un nuovo libro pieno di abbandono,
una celebrazione di foreste
dove cadono gli ultimi, i piú buoni,
come una rupe sacra agli indovini,
tu servivi la plebe, che bastarda
ti offriva piana l'ultima parola.
Non pronunciare la parola amore:
qui sulla terra è un gergo che si spregia.
Ora saluta l'odio e la fortuna,
la mercenaria dalla lunga faccia,
quella che allaccia trepide collane
e rivolta quel sangue maledetto.
Ora tuo figlio siede sopra un trono
come pane glorioso della terra:
non potevi cibarti di quel pane
se non andando nelle bianche zolle
ove abita il cielo con la morte.

Il cieco Amatore

ad Ambrogio B.

Tremare per una foglia,
pensare che il delirio è un peccato,
poi farsi vento, un vento di ambra pura...

Ci sono le colonne del mistero
nel nostro io, e ti ricordo freddo
come una grossa palla di paura,
eppure mi piacevi e avrei sepolto
nei grandi occhi pieni di coraggio
quella malinconia che tu sapevi
mentre mi domandavo «è proprio cieco
tanto da non vedere il mio pensiero?»
Infine io ti ho dato il monumento
dei miei paesi, troppi e maledetti,
tu andasti verso l'Africa lontana
e poi non ti ho mai visto ritornare.

Ricolma il tuo vuoto, amore,
stampa gli occhi nel cielo
come un'offerta mobile di ombre:
sei laggiú e ti sento
portato nella darsena sicura.
Vorrei il vuoto della tua pazienza.
Insieme, misurandoci i ginocchi,
abbiam patito di aspre dissonanze.
Eri tu maledetto, ora capisco,
nel senso che guardavi nella notte
senza pensare che io sono donna,
eppure io con te trasecolavo,
portavo le vendemmie dentro i carmi.

Amore che giaci
dentro un'ampolla di vetro
per le ricerche nobili
di chi ha scoperto
il verde delle stagioni,
con gli arabeschi dei prati
abbiamo intessuto la veste
e giubilando del nulla,
attoniti dentro la fede,
abbiamo gustato il vino
dell'incantevole inganno.

Grazie per questa parentesi morta,
per questo incunabolo puro,
per questo zefiro di oleandro!

A volte i morti sono una storia cupa,
a volte si scoprono dopo,
quando scostando tendine di spazio
si trovano innumerevoli e sorti,
ed è sgradevole dire a un passante
«costui non è piú sulla terra
perché era ebbro di baci».

Magia di Oriente sei tu,
magia dei miei segreti,
se penso il segno mi diventa polvere,
l'inchiostro, che è segreto di follia,
poggia a un altare che non è pregiato;
perché mi hai crocifisso e poi piegato?

Amore che giaci in un tempo piú buono
quando le muse cianciano scoperte
e una crepa di vento hai dentro il volto,
rimane contro te la primavera
e mi pare un silenzio delle vette
che fugge da una zolla di pianura.

Io ti farò soltanto nocimento,
come una maga al pieno delle forze
che vuole amore solo per fiorire,
voglio sedere accanto al tuo bivacco
e scaldarmi a una vena di candore.

O erta felice,
o clamide della mia menzogna,
tu, falso Nerone
che gemi tra le mie braccia,
che voglia ho di gridarti il mio sdegno.

Sono una devota felice
che cerca scarpe spaiate,
che mette le scarpe degli altri
e cammina su viottoli non suoi.
Il mio paese è altrove,
paese della dimenticanza,
il giudizio degli altri non importa
e dopo che tu sei morto
non mi importa il giudizio divino.

Tu, Dio, mi destinasti ai poemi
e per queste grandi vicende
mi hai dato tenebre grandi,
il male oscuro mi sorveglia di notte
ed è come una grossa arpia
con ali di diamante.
Mi prende il veleno della tua giovinezza
e mi dà monete sonanti,
ma vado alla banca dei pegni
e trovo il mio conto scoperto.

a Giorgio M.

Rattratta contro un muro,
un giorno una povera vecchia
mi ha svelato il mistero della vita.
Se tu sapessi come è pallido il canto
dei grandi poeti!
Vanno e vengono confusi nel tutto
e latrano invano...
Somigliano a una muta di cani
alla periferia della terra
dove siringhe e odori
sconfiggono il male oscuro
e cadono ai piedi del mondo
come eroi prigionieri.

Ogni parola
è un gallo che canta all'alba.
Al mattino vedo il tuo volto
teso a strapiombo sulla mia grandezza.
Sei venuto meno alla luna
lo so, un giorno...
poi sei andato a casa di corsa,
ti sei tolto la giacca
e hai messo il fustagno di un turpe pagliaccio.
Allora con una mollica qualunque
la forza di un panettiere
ti ha messo un cono da Pinocchio,
perché cosí tu sei stato per me,
Manganelli.

Lo spirito adesso si adagia quieto
ed è solamente abbattuto.
Annoto su un taccuino assente
che l'avvenire non è piú sicuro:
c'eri tu che vigilavi al confine
del mio salto in lungo
e io stavo in palestra.

O mio grande amatore preso dal sonno,
ancora una volta è stata provata una cosa:
che i poeti sono uguali a tutti,
cadono come gli altri in un bicchiere
confusi con un anello sponsale
e diventano amari, veleno per tutti i fiori.

O miei grandi compagni
confusi in un intreccio senza addio,
dal piú misero al piú buono
tutti avete cantato alla luna
pensando di me che ero sola.

Dimmi, se io ti mostro
la mano aperta, cosa riversi?
Forse dodici labbra di destino
o nervature di una vita vecchia?

Un monocolo batte sull'asfalto,
víola recensioni a non finire:
mi trovo sopra i vecchi rotocalchi
e dicon tutti «sangue di bufera
questa ha negli occhi».
Non sanno che io piango,
che ho una solitudine bambina.

Ragazza, tu che sfiori la mia mente,
c'è nel tempo vibrato una mimosa
che va raccolta dentro la sutura
e ha suono, credi, un suono inverecondo.

Parola sottile
come una perla,
gemito,
ambascia del mio spirito,
io sono e sarò
la donna sempre vergine
che alita frescura.
Donna dai mille monti
e dalle tante pianure,
in una verde vallata,
in un bosco di felci
credo di abitare il divino
e trovo me, ombra tua.

a Pinuccia

Sei la finestra a volte
verso cui indirizzo parole
di notte, quando mi splende il cuore
e il pudore è vano.
Una donna che sogna il destino
lo sente come un ciclamino
e rimane eterna ragazza.
O quante volte impazza
in me l'ebbrietudine dei santi,
ma tu mi stai sempre davanti
come una grande tazza
di buon vino azzurro.
In te il poeta è soltanto un sussurro.

Reggimi amore, mutilo cavallo,
sopra la staccionata maledetta
in cui percorsi le mie valli antiche...

Che zingara di lente libagioni
son io dalle voragini sicure.
Rideresti di me, di quella folla
di gradevoli e facili canzoni
che non ti ho detto prima di morire.

Addestra la parola,
c'è una donna che è sola
appesa a un ricordo...
Ma stempiato di nebbia
e arso di parole
tu ti distendi al sole,
immemore da sempre.

Cavernicola come sono,
attaccata alla mia palafitta
cerco il fango, mio unico amico,
con intorno un lago dorato.

Mi è sempre piaciuto cavalcare l'aria,
avere una casa isolata da tutti,
e dire che non conosco nessuno.
Invece mi conoscono in cielo
e ardono di amore e di odio
e mi fanno uscire di senno.

Ho sempre deprecato
l'ortolana che vende le erbe
e le conchiglie che per strane simbiosi
conservano la luce...

L'abito delle distanze
a volte tiene una corda
e con questa strangola i tuoi veleni.
Le fonti dei misteri
sono ormai secche
ed Eurilice non piange piú,
non c'è piú siero di Madonna nel canto
e Maria Vergine è diventata adulta.

Apro la sigaretta
come fosse una foglia di tabacco
e aspiro avidamente
l'assenza della tua vita.
È cosí·bello sentirti fuori,
desideroso di vedermi
e non mai ascoltato.
Sono crudele, lo so,
ma il gergo dei poeti è questo:
un lungo silenzio acceso
dopo un lunghissimo bacio.

Mi dissero sei una santa
perché a volte tu tremi
per via dei tuoi ricordi.

Io non ho mai avuto ricordi,
solo visioni acute, profezie:
so il giorno prima che viva
e il congedo di qualche giusto
che qui dimora,
ma come faccio a dire alla questura
che domani scoppierà la bomba
della mia voce?

Ogni sospiro
è un immediato pensiero.
O viola del mio sentimento,
chi ti ha bruciato la vita?

Ero una donna oscena
che andava alle feste d'amore
e cantava le fiabe alle campane,
poi arrivò un uomo solo
che disse «sono il corriere del re».
La festa fu rovinata
e Cenerentola fu rapita.

A Dino Campana

Ritorna, che cantar canzone di voto
dentro l'acqua del Naviglio io voglio
perché tu sia riesumato dal vento.

Ritorna a splendere selvaggio
e giusto ed equo come una campana,
riscuoti questa mente innamorata
dal suo dolore, seme della gioia,
mia apertura di vento e mio devoto
ragazzo
che amasti la maestra poesia.

Ho una nave segreta dentro al corpo,
una nave dai mille usi,
ora zattera ora campana
e ora solo filigrana.

È la mano di Fatima verde di colli,
la rosa del deserto già dura
e una perla nel cuore:
la mia paura.

Tienimi,
ho i piedi freddi,
somiglio a una pigra acacia,
tengo in conto l'ambascia
di ieri.
La gioia ormai non è nulla,
la gioia non mi trastulla,
invoco corsieri,
e intanto somigli a un tutto,
e intanto somigli
a un galoppo leggero.
Come ti invoco, scudiero,
ma tanto mi sei di troppo.

Questa pura essenza
della sostanza e del suono,
questo embrione
di parola limpida,
questo tocco segreto
sei tu, cristallo.
Mobile come le onde sonore,
trasgredisci ogni silenzio
e rapido e solo
percuoti il mio azzurro.

Cristallo,
ti bevo nell'alba,
candore della persona,
candore del mio segreto,
candore di sogno.

Depreco, sai, la mia scrittura
che dà i vagheggiamenti al mondo.
Tutti credono che io sia una perla,
invece ho ammazzato tanti uomini
e tante solitudini.
C'è chi mi scrive che gli ho salvato la vita
e chi mi dice che io l'ho dannato.
Nessuno mi invita mai a una festa
perché come poeta debbo stare lontana
dai vincitori.

a mia figlia Manuela

O carme, gentile indovino
che hai allietato le mie esili braccia,
fiore di una madre che delude,
adolescenza che fuggí via alla svelta
come raggio di sole benedetto
viene alla sera umida ed ignota,
mi vedesti partire per l'inferno
e desolata e sola hai cominciato
ad impararmi solo per memoria
e sei rimasta con un grande vuoto
dentro al ricordo. E mi fa gran pena,
e vorrei ritornare ancora indietro
per trovare quelle ore conosciute.
Bambina, ti reggevo tra le braccia,
ti portavo dovunque per la via
e i pontili parevano d'argento,
la mia casa una reggia, faraone
tuo padre, mentre io
Giuditta con la spada.
E, lo ricordi, suonavamo il piano
non so con quanti cembali imprecisi;
poi, quando tu capisti che tua madre
fuggiva dalle soglie della casa,
tu non piangesti mai, ma mi guardavi
con tanto smarrimento dentro agli occhi
che ancora oggi tremo se ti chiamo:
non voglio che ricordi quei momenti
in cui io, persa, ti desideravo.

O figli miei
sparsi come l'erba pulita,
siamo stati quattro fiumi con cinque affluenti
e un grande inno d'amore.

Qualsiasi orso ci avrebbe depredato
vedendoci colmi di miele.
La nostra dolcezza
è grande come la parola del dio puro
che vede venir meno la terra
di fronte al suo fulgore.

a Titano

È un desco senza parole
la parola che mangia il tuo cammino,
una larva di gatta è nella neve
e ti cerca di notte disperata.

Erano tempi, che so io, indolori,
tempi in cui il rosmarino si sgelava
sotto il tepore delle nostre mani.
Eri canuto tu quando dormivi
per non sembrare un fulgido ragazzo.
Ahimè, Titano, che parole stanche
dette al coperto della nostra nave
e un quadrifoglio tra le belle labbra
ti fioriva di notte se sognavi.

Dicevo agli altri che la tua gelata
durava troppo e che se avessi pianto
forse sarei andata a ferragosto
a vedere le viole del pensiero.
Venne l'inverno e tu non mi lasciavi,
venne l'estate ed eri sulla porta,
ma venne un giorno che impazzii d'amore
e ti lasciai morire nel giardino.

Sono convinte queste strane vecchie,
tra le quali son io non la migliore,
di aver sepolto il loro ultimo amore
insieme ad un marito. Ma poi arriva
Titano, quell'armata
fatta di un uomo solo che tu eri,
e comincia di nuovo a far la guerra
al sentimento, sopra ad un ronzino...

O Don Chisciotte pieno di amarezza,
la tua terra ora è già defenestrata,
qualcuno l'ha buttata al piano basso
anche se vivi al settimo dei cieli.

Lo so che vendi le mie poesie per poco,
per fartene dei fronzoli da strapazzo.
Lo so che apri e chiudi castelli e fortilizi
a tuo piacere, perché hai denaro sonante.
Lo so che lo sterco del vicolo è comune
e che hai il parere della folla.
Lo so che fai vedere i miei errori a tutti
per esaltare i tuoi meriti grandi.
Lo so che adoperi le carogne dei morti
per fartene del vino evanescente:
questo lo si conosce dalle favole
e questo è il putridume dell'inconscio.

Donna che siedi stanca sul mio letto,
io ti guardo vogliosa di chimere...
Penso che in fondo quando mi allontano
dal tuo ricordo trovo il mio ragazzo,
e allora piango per la tua malia
perché sei giovane e non ti azzardi a dire
che il velluto delle tue carni,
me lo può straziare.

O maledici, Dio, chi mi ha tradito,
quella che beve la mia stessa acqua,
quella che beve il mio dialogo dolce,
quella che è pura e senza sentimento.
Maledicila in te come non figlia,
come perla strappata dal suo guscio,
allontana da me questa cancrena,
tumida forse solo dell'amore,
dal greto asciutto per le libagioni.

Alle nove, quando compare il tuo spettro,
tu mi vieni davanti e tanto t'amo
che penso sia una morte delicata,
venuta a sorprendermi altre volte.
Tu sei la vera donna,
un'ape che raggiunge le mie vene,
e tutta mi sgomenti e mi deridi
con la tua faccia colma di respiro...
Io affondo nel tuo livido segreto
per raggiungere la pace delle tempie.

Torna, che sei velata di stanchezza,
lo so, mi pensi dentro la rugiada
col seno colmo e ti sembro un trastullo:
pensavo di Quasimodo lo stesso,
povero caro, cosí vecchio e amico
quando, fanciulla, io mi raggelavo.

Per lei sola stasera sono stata
a casa, per la L. benedetta,
perché, fuggiasche entrambe, le sue rime
potessero trovare il mio cammino.
È tornata fremente alla mia porta,
portava in mano un fiore di speranza,
come quel passerotto che al mattino
ti invita a aprire dolcemente i vetri
e picchia forte e angelico sul volto
della speranza arida del vecchio
che non pronuncia la parola fine,
che non vuole un aiuto per la morte.

O mia grande dolcezza
o delicato grembo,
il germe dei tuoi inguini
geme d'aspettazione
ed è lunga l'attesa per gli amanti.

Ti vedo le spalle fervide,
la cetra delle cosce
e la bocca che s'alza
al mare in un crocicchio
di salsedine amara.
O donna sconosciuta
e turpe salamandra,
come son malandata
adesso che ti amo.

a Pinuccia

Tua moglie, una conchiglia di mistero,
donna che si difende alle parole,
come Petrarca ne farei una dea.
È donna che ricerca smarrimenti
che cerca un'acqua torbida di morte
per poi ridiventare sirenetta.

Hai mai capito tu quelle ali unite
di troppo maneggevole farfalla
che vorrebbe volare oltre i momenti
di questa terra gonfia di confini?

Africa

Dolente il gesto della donna
che riposa sul mescolo lontano,
che ha mille facce e una sola
non ancora risolta.

Donna di tante ambasce,
conosce la fame e il gesto
e un baco puro di seta
che non ha memoria.

Donna dell'Africa pura,
è il mio filugello,
lei che dimentica tutto
ma non il dolore.

La storia di Venere perduta

Venere bella dai foschi confini,
Venere abbandonata sulle acque,
Venere dai capelli sí lontani,
fiorita di un'ambrosia e di una chiglia,
la piú lucente che si possa dare,
solcava un giorno quel mio corpo vecchio,
ansiosa di tornarmi a delibare.
Venere forse stanca di mollezza
quando mortale si poggiò supina
sopra il cuscino della prima notte
e mostrandomi sandali odorosi
diceva «guarda, ho camminato troppo
ai confini di giovani speranze,
qui le ragazze bianche del Naviglio
sono sí belle che mi sono persa».
Un canneto di loto per dormire,
poi la mitologia del sentimento,
alacre il tempo di Giunone vecchia
sedeva sulle spalle di sua madre
che non aveva un desco per mangiare.
Mi doleva nel cuore quella gazza
che si posava stanca sul mio petto
e la raccolsi timorosa assai
di doverla riamare nella notte.
Ma lei si spense come un lumicino
e divenne una lucciola d'ardore.

E c'era un ballatoio di lontano
dove saliva la lavanderia,
una donna nostrana di paese
avvitava le rocche del suo corpo
e una mano già pronta al materasso
scardinava la lana nella notte
e vi metteva anche ala di corvo
di modo che io e te, sempre lontani,
ci volevamo un bene da morire.

Poi c'era un bimbo dentro un canterano
e pareva che, nato nella notte,
lí avrebbe anche potuto rimanere.
Che guaio un figlio che non è sicuro.
Quella megera rapida di mano
mi aveva fatto madre di un destino
che io mangiavo ancora dopo anni,
nudo, pieno di torsoli buttati.

Coi capelli di donna lontana,
a immagine di lei quasi perfetta,
volevi farti una bianca minestra
e dirti che l'amavi. Nella buca
del tuo sogno selvaggio qualche volta
certo ti sei arrischiato di cadere
e mi tenevi come beduina,
volto fasciato dalla mia follia.

L'oste che al crocevia
mesce vaghi bicchieri di candore
mi aveva detto che una bancarella
vendeva fosse per emarginati
e mi offriva camelie di peccato,
poi mi diceva «solo che volessi
noi manderemmo al diavolo il Titano,
quello che ti percuote nella mente».

Ero al balcone della tua fortuna
e guardavo un cavallo, o monumento,
pari a un discorso fisso senza data.

Se tu domandi ciò che vedo intorno
alla giustizia, ti dirò che il volto
della paura ha un senso maledetto,
ti dirò che cercare il rosmarino
o le felci nel buio di un teatro
è come ricordare il paradiso
e i colli della prima giovinezza,
ti dirò di cercar la voce nuova
di cui io forse sono sentimento
e che profonda come la tua voce
mi tolse dall'inferno del sapere.

Quella cultura che forse mi devasta
non è altro che un suono dell'amore
e la chiusura della sua speranza:
egli morí di folle sentimento
come attaccato a un germe di vergogna
e si rinnova in estasi profonda
e si rinnova a ogni rinverdire
di fronde, come fosse là nel solco
di quel cortile cieco e maledetto
dove questo poema si conclude
dentro una forza fredda di natura.

La bagaría

La bagaría che non ha destino,
un vento prezzolato di miseria,
quella sudicia mano di cartone
e il negro che ti abborda per gli occhiali:
«madre – mi dice – l'Africa è lontana
e io cerco il mio nido tra le foglie,
ho un usignolo buono per cantare...»

Io non ho figli e ho un letto per dormire,
penso a una Piazza Rossa demolita
e al Grande Giocatore della Russia.

Natale ai Navigli

La sera tornando dal freddo
mi infilavo nel bianco Titano.
Difficile immaginare un ghiacciolo ardente,
un'anima che desse pena all'anima,
però steso sul mio caldo segreto
Titano diceva: «il canto d'amore
è solo fra le tue braccia»...

Il Naviglio prorompeva felice
e diventava un canto gigante,
le pecore belavano intorno al letto
e noi eravamo pastori,
le sue labbra nella notte
mi facevano sentire un'ebrea ardente.
Io gli domandavo su quanti giacigli fosse rimasto
e quanti ne avesse lasciato,
Titano diceva: «fa il conto
di mille scudi per tre».

Così diceva e se aprivo il palato
delle sue mani vedevo
il segreto giovane del suo amore profondo
e le sue braccia erano colmate dai sensi
e fuori nevicava.

I negri, questa favola multicolore,
questi figli disagiati e stanchi,
questi ciclamini del destino
espandono monete di fuoco
intorno alla vecchia regina
che sono io.
I negri che mi circondano il collo
con profonde carezze di mansuetudine
sono gli unici a offrirmi una sedia
sotto un tendone
e quando si spogliano nudi
dicono che il loro fallo rasenta la terra
e insemina la vecchia madre
che li ha cosí addolorati.
I negri che tra un pollice e l'altro
mangiano bianche locuste
e tengono fiori di cotone
tra le larghe bocche carnose
traversano con me la bianca terra
e sentono venire dal terrapieno degli occhi
la moltitudine esangue
che invoca acqua, acqua
per gli dei dormienti.

Sul tavolo imbronciato di bellezza
si siede il giocatore in guanti gialli
per la bisca piú truce che si possa.
A lato un ferro, un deciso argomento
e una fame impossibile di amore
è la maschera che svela il suo passato...
Nel cielo di questa osteria
ci sono appesi sette simulacri:
beve Riccardo dalle molte facce,
l'altro, il tiranno delle tue lenzuola,
ti strappa fuori da ogni movimento
e precipita cupo nel ricordo.
Questa osteria senza documenti,
dove di certo un tempo fui giocata
sulla parola dall'insetto bianco
che è lo spirito puro dei poeti,
è calpestata tutta dal tuo bacio,
amore maledetto che mi chiami.

Tombola. Nella notte con le carte
si fanno essenze degne di Dioscuri.
Un cartomante padre dei tarocchi
ha detto che la torre fa disgrazia.
Tu trovi il sette? Gambe delle donne.
Il tre potrebbe darti investimento
di capitale e ti arrischi troppo.

Ti viene in mente che sopra il Naviglio
si gioca al lotto per coprire il nove
e qualche arpia ti cuce insieme i panni,
cosí non lasci il tuo vecchio armatore.

Ci son pezze che odorano di urina
un po' dovunque, perché si sfregan tutte
le quindici megere del peccato,
non hanno il senso della pudicizia.

Qualcuno che si butta nel cemento,
qualche altro che si impicca con ragione
e intanto in strada suonano i violini...

E noi grandi poeti
assunti alla liquida razza
di questo incosciente Naviglio
che nutre eroi da strapazzo
con ampie feluche di delitti,
noi che accampiamo quel desiderio vitale
di essere puri al di fuori di tutto
abbiamo fiducia che le pietre volino
di sotto ai vecchi pontili.

Getto noccioli di cartone,
suono per militi di cartapesta,
ora sono tutta funesta
e ho dato mille canzoni.

Indice

Ballate non pagate

1989-93

Maggio-settembre 1994

Stampato per conto della Casa editrice Einaudi
presso ELCOGRAF S.p.A. - Stabilimento di Cles (Tn)

C.L. 13730

Ristampa

21 22 23 24 25 26

Anno

2018 2019 2020 2021

Collezione di poesia

Ultimi volumi pubblicati